Les Ou

MAU AISES HABITUDES

PREMIÈRES EXPÉRIENCES

Les Oursons Berenstain et les MAUVAISES HABITUDES

Stan & Jan Berenstain

Grolier Limitée MONTRÉAL

Distribué au Canada par Grolier Limitée. Imprimé au Canada.

Dépôt légal, 2e trimestre 1987
Bibliothèque nationale du Québec

ISBN 0-7172-2204-7 1234567890 ML 6543210987

Sœurette Ourse habitait avec son père, sa mère et son frère dans la grande maison dans l'arbre qui se dressait au bord d'un chemin au plus profond du Pays des Ours. Et voilà déjà plusieurs années qu'elle allait à l'école.

D'abord, il y avait eu le jardin d'enfants où l'on s'amusait beaucoup. Les tout-petits jouaient à la poupée, fabriquaient des serpents en argile et gribouillaient de beaux dessins.

Puis la maternelle. On s'y amusait bien aussi. On y faisait de la musique et des jeux de rythme. Sœurette y avait appris les chiffres et les lettres de l'alphabet . . . enfin presque toutes.

Cette année, Sœurette était en première, à la grande école. Les choses étaient différentes. Les élèves ne s'ennuyaient pas du tout et aimaient bien leur professeur, madame Leblanc. Mais ce n'était pas *toujours* drôle. Il fallait beaucoup travailler . . . orthographe, calcul, écriture et tout le reste.

À la grande école, il fallait se concentrer. Et, quelquefois, à force de se concentrer, on attrapait de mauvaises habitudes. C'est d'ailleurs ce qui arriva à certains élèves de madame Leblanc.

Julie tortillait les poils de sa fourrure. Je tortille.
Tu tortilles. Elle tortille.

Frédéric se grattait la tête.
Je me gratte. Tu te grattes.
Il se gratte.

Philippe suçait son pouce.
Je suce. Tu suces. Il suce.

Et Sœurette mordillait ses ongles. Je mordille.
Tu mordilles. Elle mordille.

En fait, elle les mordilla tellement qu'au bout d'un certain temps ils se cassèrent au ras de la peau. Ses doigts en étaient même douloureux.

«Oh, mon Dieu!» s'exclama un jour maman après l'école. «Tu as rongé tes ongles jusqu'à l'os. C'est comme si tu n'en avais plus. Comment cela est-il arrivé?»

«Je ne sais pas vraiment, maman», dit Sœurette. «Mais, j'ai mal aux doigts.»

«Hum», soupira maman. «Je sais ce qu'on va faire. On va désinfecter ceux qui sont irrités et mettre un bout de sparadrap sur chaque doigt. Comme ça, dès que tu porteras tes doigts à la bouche, tu te souviendras de ne pas les ronger et tes ongles pousseront.»

Si le sparadrap aida Sœurette à ne pas mordiller ses ongles, en revanche, il la gêna pour faire certaines choses. Quand on a le bout des doigts enrobé de sparadrap, ce n'est pas facile de tenir un crayon,

d'allumer la télévision

ou de se gratter en cas de démangeaisons.

Sœurette essaya de jouer aux jonchets, mais en vain.

Et puis les bouts de sparadrap révélèrent au monde entier qu'elle rongeait ses ongles. Pour Sœurette, c'était le pire de tout.

Le lendemain matin, à l'école, lorsque Sœurette se mit en rang, Julie Lafleur et les autres élèves la montrèrent du doigt et se moquèrent d'elle. «Sœurette ronge ses ongles! Sœurette ronge ses ongles!» Sœurette arracha alors sans hésiter tous les bouts de sparadrap.

Cependant, le sparadrap n'était plus là pour lui rappeler de ne pas mordiller ses ongles. Tant et si bien qu'elle les mordilla

à l'école,

dans l'autobus . . .

et même en descendant de l'autobus avec Frérot.

«Il va falloir que tu arrêtes ça tout de suite sous peine de continuer toute ta vie», lui dit Frérot.

«Je crois que ton frère a raison», dit maman qui avait empilé ses outils dans la brouette pour aller faire un peu de jardinage. «Je ne voudrais pas te donner l'impression d'être un rabat-joie, mais ronger ses ongles est une sale habitude dont il est très difficile de se débarrasser.»

«Une habitude?» demanda Sœurette en fermant les poings pour qu'on ne voie pas ses ongles rongés. «Qu'est-ce que c'est une habitude?»

«C'est une bonne question que tu me poses là», répondit maman. «Viens. Nous en parlerons en plantant des bulbes de tulipe que grand-mère m'a envoyés.»

«Une habitude», dit maman en poussant la brouette sur le sentier cahoteux, «est un geste que l'on fait si souvent qu'on en arrive à ne plus y penser. Nous avons de nombreuses habitudes. Beaucoup sont bonnes, comme brosser ses dents, lustrer les poils de sa fourrure ou regarder des deux côtés avant de traverser la rue. D'autres, par contre, sont mauvaises.»

«Comme celle de ronger ses ongles?» demanda Sœurette.

«Tu aimerais *vraiment* que tes ongles repoussent, n'est-ce pas?» dit maman en guise de réponse.

«Oh, oui!» s'exclama Sœurette. «Mais j'oublie tout le temps de ne pas ronger mes ongles. Pourquoi est-ce si difficile de m'en rappeler?»

«Je vais t'expliquer», dit maman. «Tu vois, c'est un peu comme ce sentier. J'y suis passée tant et tant de fois avec ma brouette qu'une ornière est apparue au milieu. Et chaque fois que j'emprunte le sentier, l'ornière s'approfondit. Je ne peux d'ailleurs plus en sortir sans soulever la brouette.»

«C'est la même chose pour une mauvaise habitude. Plus on la répète, plus il est difficile de s'en sortir. Voilà, on y est. C'est là que je veux planter les bulbes.»

«Et ma sale habitude? Tu ne me dis pas quoi faire pour m'en débarrasser?» demanda Sœurette en aidant maman à sortir la brouette de l'ornière.

«Tu as besoin qu'on t'aide un peu», lui dit maman. «Je vais réfléchir à ce qu'on peut faire en plantant les bulbes. J'en parlerai aussi à papa. Il aura peut-être une idée.»

«Je pourrais lui jouer la grande scène», suggéra papa. «Tu sais le genre: c'est scandaleux de ronger ses ongles, c'est une honte et si tu ne cesses pas tout de suite . . .»

«Tu n'y es pas du tout», l'interrompit maman. «Ronger ses ongles est un tic nerveux. Si on crie après Sœurette et qu'on la menace, sa nervosité redoublera.»

«Tu as sans doute raison», dit papa d'un air pensif. «On devrait peut-être lui offrir une récompense. Un peu d'argent . . . Disons une pièce de dix cents par jour.»

Avant même que maman ait eu le temps de répondre, Sœurette, qui depuis un moment rongeait ses ongles dans le salon, fit irruption et dit: «Une pièce de dix cents par jour si je ne ronge pas mes ongles?»

«Oui, c'est bien ça. Tu auras une pièce de dix cents par jour jusqu'à ce que tu te débarrasses de cette sale habitude.»

«Je ne rongerai plus jamais mes ongles», dit Sœurette en pensant à la petite fortune qu'elle allait amasser.

En fait, Sœurette ne gagna pas un seul sou. En revanche, elle perdit courage.

C'est long un jour et les habitudes sont tenaces . . . surtout les mauvaises. Argent ou pas, Sœurette continuait à ronger ses ongles. Papa et maman se découragèrent aussi.

«Ce n'est pas la fin du monde après tout», soupira maman. «Je vais téléphoner à grand-mère pour la remercier des bulbes.»

«Ne me remercie pas», dit grand-mère quand maman l'appela. «Ce n'était vraiment pas grand-chose. Mais dis-moi plutôt comment ça va chez vous . . . Ah, oui . . . Tu sais, moi aussi je rongeais mes ongles quand j'étais petite. C'est ma mère qui a trouvé le truc pour que je m'arrête. Qu'est-ce que tu as essayé jusqu'à présent? . . . oui . . . oui . . . Tu es sur la bonne voie, mais au lieu de lui donner une pièce de dix cents à la *fin* de la journée, tu pourrais . . .»

«Quelle bonne idée!» dit maman à grand-mère, qui décidément était pleine de sagesse.

Papa et maman essayèrent donc ce que grand-mère avait suggéré, c'est-à-dire qu'au lieu de donner une seule pièce à Sœurette le *soir*, ils lui en donnaient dix d'un sou le *matin*—une pour chaque doigt . . . *à moins qu'elle ne ronge ses ongles.*

Et avec tous ces sous dans sa poche

qui tintaient quand elle montait dans l'autobus,

qui tintaient quand elle sautait à la corde . . .

. . . qui n'attendaient qu'une seule chose, qu'on se souvienne d'eux quand un ongle manifestait le désir qu'on le mordille un peu . . .

le plan marcha!

Pas parfaitement, certes. C'est difficile de se défaire d'une mauvaise habitude. Sœurette dut rendre quelques pièces. Au bout de dix jours, toutefois, elle avait quatre-vingt-treize sous.

Et encore mieux, elle
avait dix beaux ongles.

C'est pratique pour
attraper quelque chose,

allumer la télévision

et se gratter en cas
de démangeaisons.

Et quand elle joua aux jonchets, elle réussit de très beaux coups.

«Je suis bien content que tout cela soit fini», dit papa l'air très soulagé.

«Moi aussi!» approuva maman en poussant un profond soupir.

À ce moment-là, Frérot regarda ses ongles et dit: «Vous savez, je crois que je vais me mettre à ronger mes ongles. Je saurais quoi faire de l'argent.»

«J'ose espérer que tu plaisantes», dit papa d'une voix tonitruante. «Parce que si tu es sérieux, moi . . .»

«Je plaisante, je plaisante», l'interrompit Frérot.

Enfin . . . il plaisantait jusqu'à un certain point.